청소년 정치의 시작

청소년 정치의 시작

발 행 | 2025년 02월 20일
저 자 | 배승준
펴낸이 | 한건희
펴낸곳 | 주식회사 부크크
출판사등록 | 2014.07.15(제2014-16호)
주 소 | 서울특별시 금천구 가산디지털1로 119 SK트윈타워 A동 305호
전 화 | 1670-8316
이메일 | info@bookk.co.kr

ISBN | 979-11-419-9084-8

www.bookk.co.kr

청소년
정치의 시작

배승준 지음

이 책 주요 POINT

청소년인 내가 정치를 보며 느낀 점들

청소년인 내가 정치를 해본 것들

부족한 청소년인 나도 어떻게 정치를 할 수 있었는지

우선 내가 이 책을 쓰게 된 이유는

청소년들이 정치에 관심을 가져야 우리 정치가 발전

하기 때문이다 미래에 정치를 하는데 우리 청소년들이
아무도 정치에 관심을 가지지 않는다면 능력이 없는

사람들과 욕심으로 가득찬 사람들이 정치를 할 것이다

반드시 막아야한다

청소년들과 청년들이 정치에 관심을 가지지

않는 이유가 많을 것 이다 그 중에서도

정쟁의 정치와 국민의 대표 답지 않는

모습들 때문에 마음이 오지 않는 것이 클 것이다

하지만 이럴때 일수록 우리 청소년들과 청년들이

정치에 많이 관심을 가져야한다.

우리가 목소리 내고 바꾸어야 한다 지금 우리

정치인들이 스스로 바꾸고 바뀌기에는

너무나도 늦어버렸다

정치에서 가장 중요한건 이 책을 읽는 사람들도 알것

이다 국민을 위한 봉사하는 마음과 본인의 이득보다

국민의 이득을 중요시 여기는 것 이다

그리고 국민과 소통하는 것 이다

하지만 우리 정치는 현재 이것이 안되고 있다

하지만 우리 청년들이 목소리 내고 행동하면

충분히 바꿀 수 있다 그러기 위해선 생각도 해야하지만

행동으로 옮겨야한다

누구나 생각은 하기 쉽다

하지만 행동으로 옮기기는 어렵다

하지만 누군가는 해야한다

그 누군가가 이 책을 읽는 당신이 됐으면 좋겠다

지금 우리 정치로 청소년들의 삶이 나아졌는가?

현실적으로 보면 아무것도 없다

우리는 그런데 정치인들 탓만 한다

그들만의 잘못이 아니다

우리가 정치에 참여하지 않고

신경 쓰지 않은 잘못도 있다

내가 정치에 관심을 가진건 초등학교 4학년때이다

하지만 우리 정치는 나이가 어리면 참여하기가

매우 어렵고 무서운 환경이다

그리고 청소년들과 청년들의 스피커가 약한거도

현실이다 그래서 나는 정치에

어린 나이에 관심이 많았어도

의견을 내지 않았다 그리고 의견을 낸다 하더라도

주변에서 이상한 시선으로 쳐다봤다

내가 이야기들을 들어보면 아직까지 그런거 같다

하지만 소신이 있어야한다 소신이 있다면 소신대로

움직여야한다 누가 이상하게 보든 본인이 맞다 생각
하고

그게 맞다면

밀고 나가야한다 그것이 언젠간 꼭 진정한 정치인의

모습으로 나올 것이다

비상계엄을 막아낸 그 당시 집권여당 대표 한동훈도

본인이 맞다 생각하여 목숨을 걸고 국회로 가

비상계엄을 막아내지 않았는가

내가 정치에 의견을 내기 시작한건 중학교 1학년때 부터

이다 하지만 나는 정치에 꿈은 없다 나보다 더 재능 있는

청소년들이 하길 바랄 뿐 이다 그래야 나라와 국민 들이

잘 살수 있다

나는 정치에 의견을 내기 시작한게

한동훈 이라는 정치인을 좋아하며

많은 걸 배우며 유세하는 곳 마다 따라다녔다

그러다 보니 자연스럽게 정치에서 옳은거와 옳지 않은걸

찾아낼 수 있었고 의견을 낼 수 있었다

하지만 의견만 내서는 안된다고 생각했다 그래서 나는

이제 완전한 행동으로 옮기기로 하였다

청소년들이 현재 우리 정치에 관심이 많지 않아서

1인시위로 시작하며 집회까지 하며 나아갔다

사실 이렇게 생각할 것 이다

무슨 효과가 있었나 없었을거 같다라 하실거 같지만

나는 1인시위를 하며 많은 분 들께서

말해주시는 조언과 말을 들으며

성장했다 그리고 맛있는 음식을 사주시는

분 들도 계셨다

내가 말한것이다 내가 옳다고 생각하면 고민하지말고

나가라 이 말이다 그러면 그 누구라도 알아줄 것 이다

그리고 집회를 내가 주최해서 해봤다

집회를 하면 사실 반대파에서

많이 비판을 한다

정신력이 강해야하기도 하다

하지만 집회를 참석해주신 분 들을 보면

본인 스스로도 모르게 힘이 날 것이다

그래서 더욱 잘 하려고 할 것이다

못 해도 된다 못 하는게 당연하다

우리는 처음 시작일 뿐 이다

나도 집회를 잘 못해 비판도 받고 그래서

많은 분 들에게 사과를 드렸다

하지만 진심은 통했는지

이제 시작일 뿐 이다 이렇게 더 성장하면 된다라고

말씀해주셨다

그리고 이 책을 보고 있는 청소년 자신도

반대편에서 자신을 공격하면 어떡할지

고민하고 걱정하고 있을 것 이다

하지만 우리 삶과 같다 사람들 인간관계에서도

본인과 생각이 다르면 비판하는 것이 사람들이다

우리 인간관계는 이미 하고 있지 않는가?

나도 많은 활동을 하며 억울한 비판도 많이 들었다

중요한 것은

그 비판을 하는 사람들 보다

옳은 행동을 하는 나 자신을 지지해주는 사람이

많다는걸

기억해야한다 그리고 그 감사함을 잊으면 초심을 잊게

될 뿐이다

또 다시 한번 기억하자 우리가 정치를 하다 힘들때

그 사람들을 보면 힘을 얻을거라는걸

그리고 청소년들이 학업에 집중해야하는 것도

맞다 맞는 정도가 아니고 가장 중요하다 하지만

때로는 나와 정치가 맞다면 학업에서 벗어나

더 넓은 사회를 보는것이 길일 수도 있다

내가 대표적인 케이스다 나는 지금 과외를 하며

서울도 다니며 여러 지역을 다니고 있다

하지만 나는 정치에 관심이 많아서 인지

더욱 즐겁고 내 인생에 도움이 되는거 같다

정치를 하다 보면 이용도 당할 수도 있고

배신을 당할 수도 있겠지만

그것은 우리가 알지도 못 하고 막을 방법도 없다

하지만 성숙하게 대응하면 된다

내 속마음을

아무 사람들에게는 말하지 않는 것 이 좋다

때로는 그게 약점이 되어 그걸 물고 공격을 하는 것
이

정치다

그리고 좋아하는 정치인을 한명쯤은 있었으면 좋겠다

그러면 청소년들의 정치활동이 더욱 더 의미 있어질 거다

그리고 특정당을 지지해 그 당의 의견만 보는 것이
아닌

모든 당을 바라보면 좋겠다

정치는 맞고 틀리고가 없고 더 옳은 것을 찾는 것이다

싸움의 정치는 관심을 가지지 않는게 좋다

거의 TV에 나와 사람들에게 알리려는 정치인들이

대부분이다 그걸 물어버리면 그 사람들은 계속

그럴 것 이고

우리 정치는 변하지 않을 것 이다

그리고 정치를 하게 되면 더욱 중요한것은 지지자분들

또 국민분들과 소통이다 그럴려면 일반인들이 좋아하는

스포츠 축구 같은걸 자주 보러 다니면 좋겠다

그러면 스트레스도 풀리고 나중에 지지자분들하고도

함께 모임을 가져 축구도 보며 많은 이야기들을

할 수 있기 때문이다

그리고 정치에서 동료를 경쟁자로 보면 안된다

그럼 억지 주장이 나오기 일 수 이다

정치에서는 경쟁자가 없다고 생각한다

다 동료일 뿐 이다 국민 앞에서 국민 세금으로

살아가는 정치인이 무슨 경쟁을 하겠나?

국민에게 더 잘하려는 경쟁이면 오케이다.

그리고 정치를 하며 누군가를 이용할 생각은 하지마라

그건 다 티가 날 뿐만 아니라

본인 정치인생은 끝날 것이다.

그리고 아무 말이나 들어서는 안된다

2024년도 2025년도 정치를 보면

명태균 게이트가 심각하게 우리 정치판에서

암덩리로 남아있다

이 문제들은 본인들의 욕심과 아무 말 이나 다 쉽게

들어 벌어진 일 들 이다

꼭 명심했으면 좋겠다.

그리고 민심은 언제나 정확하다

민심을 무시하면 그것은 정치인의 도리도 아닐 뿐

더러

사람으로서의 도리도 아니다.

그리고 본인의 생각을 강요하거나 무조건 맞다고

생각하지말고 합리화도 하지마라

다른사람의 생각도 맞다 서로서로 맞추어 나가는 것

이

그게 바로 정치이다

극단적인 생각을 가지지 말아라

극우와 극좌는 있어서는 안된다

건강한 보수와 진보는 있어야한다

하지만 극우와 극좌는 국가를 머리 아프게 하고

포퓰리즘을 낳는다

무엇이든지 토론하고 대화하려 해라 상대가

마음에 들지 않더라도 토론하고 대화하면 풀리게

되어있다.

그리고 무조건 이유없이 한 사람을 좋아하지 말아라

그 사람이 잘못된 길로 간다면 옆에서

말해주고

비판해야 발전한다

그것이 바로 소신있는

정치인이다

남이 실수하기를 기다리지 마라 그건 그 사람들고

똑같은 사람이 될 뿐 이다

그럴 시간에

의미있는 일을 하며 인정받고

지지를 받자.

마지막으로 다시 한번 말한다

청소년들이 정치에 관심을 가지지 않는다면

미래 세대에는 정치에 관심도 없고 아무것도

모르는 사람이 정치를 하게 될 것이다

누구나 생각하는건 쉽게 할 수있다

하지만 실천하는자가 진정한 멋진 자 이다.